Texto: © Ricardo Ruiz Rodríguez y Olivia Girón Biforcos, 2017
Ilustraciones: © M.ª Luisa Torcida Álvarez, 2017

© Grupo Editorial Bruño, S. L., 2017
Juan Ignacio Luca de Tena, 15
28027 Madrid

Dirección Editorial: Isabel Carril
Coordinación Editorial: Begoña Lozano
Diseño de cubierta: M.ª Luisa Torcida
Edición: Cristina González
Preimpresión: Pablo Pozuelo

Este libro pertenece a

....

Me lo ha regalado

....

en el día

....

M.ª Fernando se hace amigo del sol
M.ª Luisa Torcida Dr. Ricardo Ruiz Rodríguez. Olivia Girón Biforcos

ISBN: 978-84-696-2064-9
D. legal: M-1882-2017
Printed in Spain

www.brunolibros.es

Fernando se hace amigo del sol

Dr. Ricardo Ruiz Rodríguez
y Olivia Girón Biforcos

Ilustrado por
M.ª Luisa Torcida

 **Bruño**

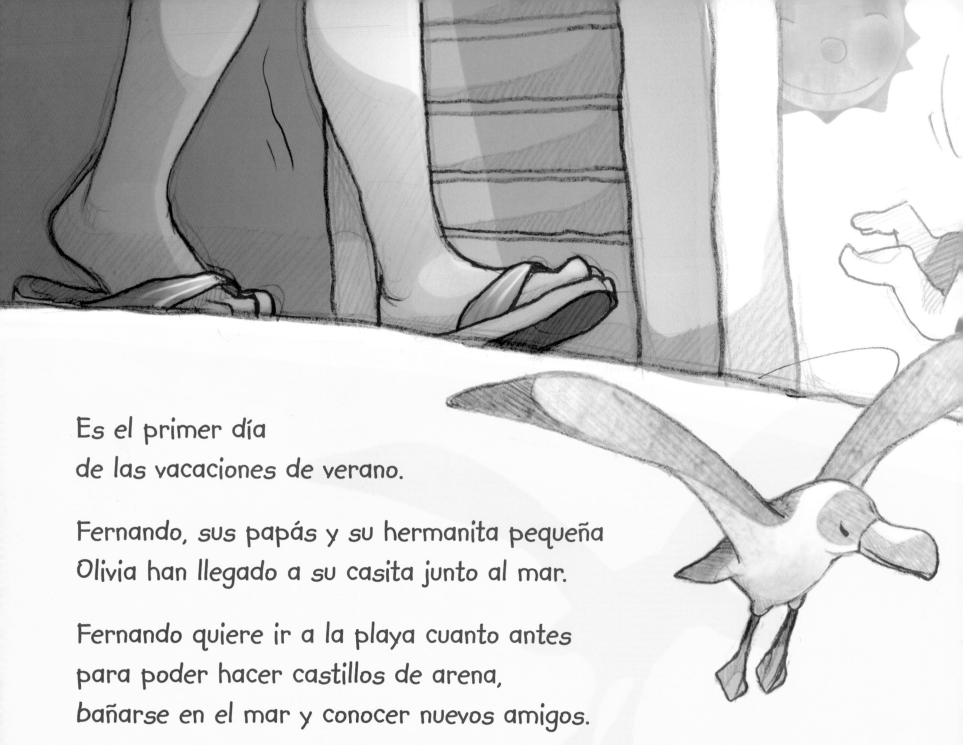

Es el primer día
de las vacaciones de verano.

Fernando, sus papás y su hermanita pequeña
Olivia han llegado a su casita junto al mar.

Fernando quiere ir a la playa cuanto antes
para poder hacer castillos de arena,
bañarse en el mar y conocer nuevos amigos.

—¡Fernando, ponte la crema de protección
solar antes de salir! —le dice su mamá
mientras coge todas las cosas de su hermanita Olivia.

Pero Fernando
está tan impaciente
por llegar a la playa
que se olvida de la crema.

—¡Mamá, papá: vamos, vamos! —les dice
mientras coge su cubo, la pala y el rastrillo.

Fernando está emocionado de ver el mar,
las olas y toda esa arena para jugar.

Su mamá le dice que antes de nada
debe ponerse la crema de protección
y también la gorra.

—¡Sí, sí, mamá! —dice Fernando,
pero está tan concentrado pensando
cómo hacer el mejor castillo de toda la playa...
que se le olvida ponerse la crema.

Papá y mamá están
debajo de la sombrilla
cuidando de Olivia,
que aún es muy pequeña
para poder jugar en la arena.

—¡Mamá, papá: mirad
qué castillo he hecho!
—les grita Fernando.

Pero no le hacen mucho caso
porque su hermanita
no para de llorar.

«Creo que a Olivia no le gusta
la playa tanto como a mí»,
piensa Fernando.

El castillo le ha quedado
tan chulo que, justo cuando
está terminando la última torre,
Fernando oye una voz:

—¡Creo que es uno de los castillos de arena
más bonitos que he visto en mucho tiempo!

Fernando se gira intentando averiguar
de quién es la voz, pero no encuentra a nadie.
Sus papás siguen bajo la sombrilla
con su hermanita, y los demás niños
están algo lejos.

—¿Quién ha dicho eso? —grita.

—¡Soy yo, aquí arriba!
—responde la voz.

Fernando mira a todos lados,
pero no consigue ver a nadie.

14

—¡Soy yo, el sol, en el cielo!
¡Me llamo Lorenzo! —dice
la ardiente estrella.

Fernando no puede creer
lo que está pasando.
El sol le está hablando...
¡y le gusta su castillo
de arena!

—Hola —saluda Fernando, un poco tímido.

—No tengas miedo —lo tranquiliza el sol—.
Normalmente no hablo mucho y solo observo,
pero tu castillo es tan bonito
que no he podido evitar decírtelo.

—Muchas gracias —responde Fernando,
que aún no se cree lo que está pasando.

—¿Te ha ayudado alguien o lo has hecho
tú solo? —le pregunta el sol.

—Lo he hecho yo solito. Mis papás
están debajo de la sombrilla
con mi hermanita Olivia.
Ella todavía es muy pequeña
para jugar, y lo que más
le gusta de la playa
es comerse la arena.

—¡Ja, ja, ja…! —se ríe
el sol, divertido.

Y Fernando
también empieza
a reírse con él.

Al final *se* pasan toda la tarde charlando mientras
Fernando enseña al *sol* a hacer castillos de arena.

El *sol* le ha contado un montón de cosas interesantes
de *sus* amigas las nubes, de los pájaros, de las tormentas de verano...

Y Fernando le ha contado un millón de cosas de su colegio,
de *sus* amigos, de lo que le gusta de la playa...

—¡Es hora de volver a casa! —le dicen sus papás.

—¡Hasta mañana, Lorenzo! —se despide Fernando, y muy feliz
de haber hecho un nuevo amigo, recoge sus cosas
y se va corriendo con sus papás y su hermanita
de vuelta a casa para la cena.

Ahora toca el baño
antes de ponerse el pijama.

La mamá de Fernando
le quita la camiseta
y de repente grita, asustada:

—¡Fernando, cariño!
¡Te has quemado los brazos
y las piernas! ¿No te pusiste
la crema protectora?

—No, mamá. Se me olvidó
porque estaba jugando
con mi nuevo amigo.

Fernando se mira el cuerpo.
Tiene los brazos y las piernas
rojos, y empiezan a picarle.

Su mamá le pone mucha
crema hidratante, pero aun así,
cuando Fernando se va a la cama,
el cuerpo le pica y le quema.

—¡No tenía que haberme hecho amigo
de Lorenzo! —gruñe enfadado en mitad de
la noche.

—¡No digas eso! —le dice una voz
que llega a través de la ventana.

—¿Quién es ahora? —pregunta Fernando.

—¡Soy yo, la luna, aquí arriba!
¡Me llamo Catalina!

Fernando no se puede creer
que también la luna le esté hablando.

—Lorenzo y yo somos amigos desde hace millones de años —le cuenta la luna—. No solemos vernos mucho, pero es un tipo muy divertido.

—¡Pues yo me he quemado por hacerme su amigo! —se queja Fernando.

—Me apuesto lo que quieras a que no te pusiste la crema protectora como te dijo tu mamá —replica la luna.

Fernando se pone colorado y le pregunta:

—¿Cómo sabes tú eso, Catalina?

—¡Ja, ja, ja...! —se ríe la luna—. Pasa lo mismo con muchos niños: os gusta tanto la playa que os olvidáis de poneros la crema protectora.

La luna le explica a Fernando
que el sol es un amigo genial,
y que además es muy bueno
para estar sano y crecer fuerte.

—Solo debes tener cuidado de ponerte
siempre tu crema de protección,
y debes reponerla cada vez que te lo digan
tus papás. ¡Ah! Y llevar también siempre
tu gorra y tus gafas de sol. Así podrás
jugar con Lorenzo sin problemas... Y ahora,
¡a dormir!, que mañana te espera otro día
muy divertido.

—¡Gracias, Catalina! —le dice Fernando,
y cierra los ojitos para dormirse.

Al día siguiente, nada más terminar de desayunar,
Fernando se pone su gorra y sus gafas de sol
y se echa un montón de crema protectora
por todo el cuerpo sin olvidar nada,
¡¡incluso en las orejas!!

Sus papás están muy orgullosos cuando lo ven aparecer
con la crema puesta.

—¡Así me gusta, Fernando! —le dice muy contento
su papá.

—¡Mamá, no te olvides de ponerle crema
a Olivia, y que se quede a la sombra,
que todavía es muy pequeña! —dice Fernando
como hermano mayor responsable.

Fernando ha pasado otro día fantástico en la playa
con su amigo el sol. Se ha corrido la voz de que es
muy bueno haciendo castillos de arena
y un montón de niños se han acercado
a jugar con él.

Fernando les presenta a todos
a Lorenzo, pero les advierte que
para ser buenos amigos no pueden
olvidarse de ponerse la crema protectora,
las gorras y las gafas de sol.

—¡Ponerse la crema es muy divertido! —les dice Fernando—.
¡Es como si te pintaras la cara igual que los indios!

También les explica un truco que le ha contado el sol:
cuando nuestra sombra es más pequeñita, es el momento
en que más cuidado debemos tener para no quemarnos.

Ya es de noche, y Fernando está deseando
irse a la cama para contarle a la luna
todo lo que ha pasado en el día.

—¡Hola, Catalina! —le dice en cuanto
la ve aparecer en su ventana.

—¿Qué tal, Fernando? ¿Cómo te lo has pasado
hoy con Lorenzo?

Fernando le cuenta lo divertido que ha sido
el día en la playa con sus nuevos amigos,
y también todo lo que ha aprendido del sol.

Cansado de tantas aventuras,
Fernando enseguida se queda dormido
mientras la luna vela su sueño desde el cielo.